中國書店藏版古籍叢刊

敬躋堂經解

北京古學院 編

中國書店

據中國書店藏版整理
辛卯年秋月重刊

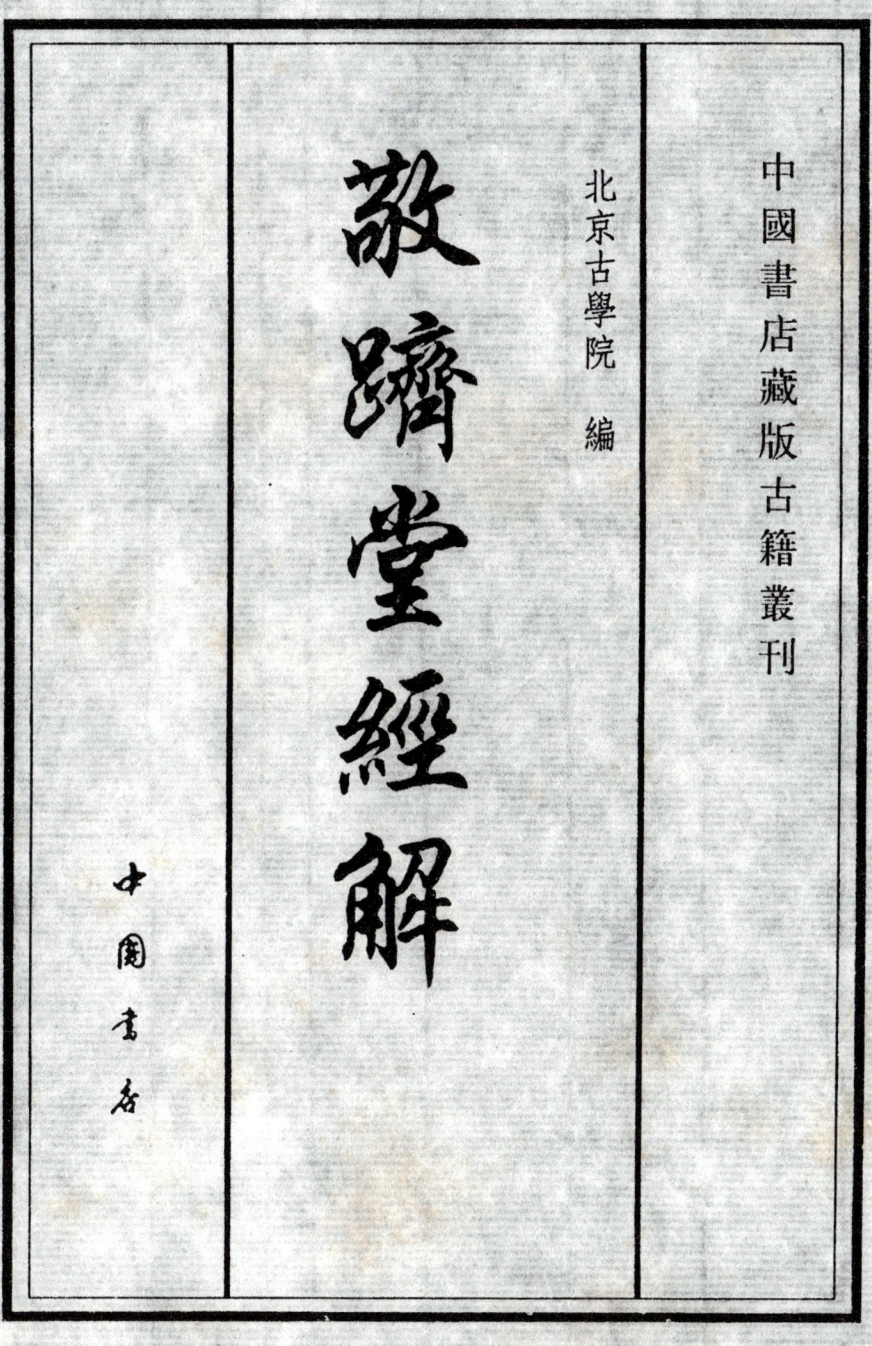

中國善本藏珍古籍叢刊

北京古學院 編

塔龍堂雜稿

中國書店

詩經廣詁

胡鈞題

[illegible]野[illegible]話 [illegible][illegible][illegible]

詩經廣詁

北京古學院藏板

中華民國三十年八月刊

序

桐城徐樗亭先生宰臨海之明年一日出所撰詩經廣詁一編以示頤煊頤煊受而讀之見其蒐輯詩義上自春秋内外傳先秦兩漢諸子以及齊魯韓三家王肅申毛之論孫毓異同之評莫不兼綜條貫其有詩義未盡者復引宋元明諸家之説以補之其用意可謂勤矣余嘗謂古人讀經之法固貴專精尤資博覽非專精無以舉其要非博覽無以集其成許叔重撰説文解字詩稱毛氏亦兼及三家鄭康成作毛詩箋往往據三家以改毛傳他如白虎通所引熹平石經所寫樊光注爾雅皆是魯詩而不用毛氏齊韓詩亦各有師承章句是終漢世四家未嘗偏廢此其學所以大也迨典午中朝專立毛詩鄭氏利祿所在士爭趨之而三家始微梁崔靈恩嘗采三家詩作集註今亦不傳今此書復從千百年後收集散亡凡古言古字片語單辭靡不窮源探委以期有裨於興觀羣怨之旨厥功甚偉頤煊嘗欲撰詩古義而因循未果今幸覩此書之成往往有與鄙見相脗合者心尤愛之因爲之校訂數語并叙其旨於簡端先生通籍官戶曹以迎養乞改令壽昌調劇臨海所至皆有惠政記有曰温柔敦厚詩教也知其得力於經義者深矣

道光十年太歲庚寅五月治愚弟洪頤煊書於小停雲山館

詩經廣詁

賜進士出身戶部雲南司主事浙江臨海縣知縣徐璈撰輯

目次

詩經廣詁例言

史記漢興言詩于魯則申培公于齊則轅固生于燕則韓太傅漢書魯申公爲詩訓故而齊轅固燕韓生皆爲之傳或取春秋采雜說咸非其本義不得已魯最爲近之又有毛公之學河閒獻王好之隋志齊詩魏代已亡魯詩亡于西晉韓詩雖存無傳者蓋三家之起訖如此自唐貞觀中孔氏等專宗毛鄭爲正義而三家絕響宋淳熙中朱文公排斥小序爲集傳而傳箋亦幾廢閣其掇古義于羣書存三家之梗槩者則自浚寧王氏始也

王厚齋旣輯詩攷至本朝會稽范氏家相撰三家詩拾遺近高郵宋氏緜初又別出之爲韓內傳徵凡非專家之說不與焉吳郡余氏蕭客撰古經解鉤沈近金谿王氏謩又別出之爲漢魏經翼凡非專門之經不與焉愚謂

隋唐以前說詩之言見諸簡篇者雖未著爲何家之傳誰氏之學要其根荄萌芽多本于三家之指趣今之採輯較諸王余范宋之書蓋增益十之六七或與毛鄭異趣或與鄭孔殊途或韓魯已有主名或申齊未著明証顏曰廣詁取諸昔人詩無達詁之義庶以備解頤者之一隅耳

漢人如劉子政之世習魯詩匡稚圭之專師齊學皆有明文故王氏范氏徑目之爲齊詩魯詩後此如班孟堅云說詩者魯爲近之漢書義似多出魯鄭康成云註記傳時未學毛詩三禮註與箋異者多兼出韓魯章懷李善小顏陸德明其時韓書未亡兩漢文選釋文註義多出

韓許叔重本傳末云習何家詩凡說文所引一章數義一字數解者蓋並存三家不專彼是也外此若三伏（伏黯伏恭伏理定齊詩章句）二許（許生許晏撰魯詩章句）單宗獨派者已無片義而焦贛賈生揚子雲桓寬高誘王潛夫何休蔡邕王叔師趙臺卿韋曜酈善長杜元凱賈公彥楊倞之倫時時稱述古義今幸留于甲乙部書可以採輯者無慮百餘家要未能悉其師承亦不敢强定流派也其內外傳荀子孔叢呂覽周秦人之書又爲三家之所自出今故備錄于卷趙宋以後說詩家暨鄙見所及有與舊詁相証發者附註于下都成一編以爲讀傳箋者之支別云爾

宋元至 本朝說詩家如李氏（樗）黃氏（櫄）之集解范氏（處義）之補傳呂氏（祖謙）之讀詩記嚴氏（粲）之詩緝何氏（楷）之世本古義錢氏（澄之）之田間詩學陳氏（啟源）之稽古編姜氏（炳章）之詩序廣義惠氏（棟）之九經古義要能根柢古笈推闡前言外此各家撰述列在書錄可供展讀者尚百餘家大抵議論雖稠見聞較狹若豐坊之申培說端木傳則假托古人鑿空杜撰作僞之咎不容逭也今咸參校諸家證其來徑凡所採錄諸目亦皆瀏覽本書隨時剩取著其篇卷但佳本難備不無焉魯目力有限挂脫仍多質之大雅尙其匡諸

朱子序讀詩記云唐初諸儒作爲疏義因訛踵陋百千萬言不出毛鄭二氏之區域愚謂疏家冗賾誠如所譏然自集傳以後元明儒者專宗紫陽依文衍義取盈卷軸說經鏗鏗又類帖括矣呂氏所云說詩者非惟有鑿說

之害而亦有衍說之害蓋說益詳而意味益淺也今所輯錄要自正義以前惟明引詩文從而訓釋之詞雖單文隻義隨其廣取咸可引伸又左氏傳曰賦詩斷章予取所求焉觀內外傳及周漢諸子之賦詩見志于興觀羣怨之旨別有啟發唐成伯瑜斷章二卷今已無傳茲故備錄之于詁解之後其羣籍徵引有文異而義仍同亦有字異而義因以別者傳寫授受各有師承並附列之以備參稽至于宋元以來傳箋集傳異趣殊途世之儒者借指喻馬屈丹伸赤倣帚之擁輒欲懸旌偏垣之明詡爲通照辨辭盈衍經義榛蕪良無取焉

詩詁綱領

荀子曰善爲詩者不說善爲易者不占善爲禮者不相大略篇

又曰詩者中聲之所止也勸學篇

莊子曰詩以道志樂以道和書以道事禮以道行易以道陰陽春秋以道名分天下篇

詩緯含神霧曰詩者天地之心君德之祖百福之宗萬物之戶也御覽六百九

又曰詩者持也在於敦厚之教自持其心諷刺之道可以扶持邦家也毛詩指說

陸賈曰詩在心爲志出口爲辭新語

董仲舒曰詩無達詁易無達占春秋無達辭春秋繁露精華篇

揚雄曰說志者莫辨乎詩法言

劉向曰詩無通故易無通占春秋無通義說苑奉使篇

淮南子曰五行異氣而皆適調六藝異科而皆同道温惠柔良者詩之風也泰族訓

司馬遷曰詩記山川谿谷禽獸草木牝牡雌雄故長於風史記自序

又曰詩三百篇大抵聖賢發憤之所爲作也此人皆意有所鬱結不得通其道也故述往事思來者史記

又曰古者詩三千餘篇及至孔子去其重取其可施於禮樂上采契后稷中述殷周之盛至幽厲之缺始於衽席故曰關雎之亂以爲風始鹿鳴爲小雅始文王爲大雅始清廟爲頌始三百五篇孔子皆絃歌之以求合韶

舞雅頌之音同

劉歆曰詩以言情情者性之符也御覽六百九

翼奉曰詩之爲學情性而已五性不相害張晏曰五行也晉灼曰翼氏五性肝性靜靜行仁甲己主之心性躁躁行禮丙辛主之脾行力力行信戊癸主之肺性堅堅行義乙庚主之腎性智智行敬丁壬主之六情更廢興張晏曰六情廉貞寬大公正姦邪陰賊貪狠也觀性以歷觀情以律漢書本傳

又曰詩有五際　應劭注君臣父子兄弟夫婦朋友也

孟康注詩內傳曰五際卯午酉戌亥也陰陽終始際會之歲于此則有更改之政也漢書本傳　詩緯推度災曰建四始五際而八節通卯酉之際爲革政午亥之際爲革命　御覽六百九

龔遂曰詩三百五篇人事浹王道備漢書本傳

王褒曰傳曰詩人感而後思思而後積積而後滿滿而後

作言之不足故嗟嘆之嗟嘆之不足故詠歌之詠歌之不厭不知手之舞之足之蹈之也文選講德論

班固曰古者諸侯卿大夫交於鄰國微言相感當揖讓之時必稱詩以喻其志蓋以別賢不肖而觀盛衰也漢書藝文志

又曰哀樂之心感而歌詠之聲發誦其言謂之詩詠其聲謂之歌

鄭興曰比者比方於物興者託事於物周官注

趙岐曰孟子之言說詩者不以文害辭不以辭害意以意逆志爲得之矣斯言殆欲使後人深求其意丨以解其文不但施於說詩也孟子題詞

王逸曰離騷之文依經立義帝高陽之苗裔則詩厥初生

民時維姜嫄也紉秋蘭以爲佩則詩將翱將翔佩玉瓊琚也楚詞章句序

魏文帝曰賦者言事類之所附頌者美盛德之形容作者不虛其辭受者必當其實藝文類聚十六

杜預曰詩人之作各以情言君子論之不以文害意故春秋傳引詩不與今說詩者同左傳隱公元年注

袁宏曰詩頌之作有自來矣或以吟咏性情或以述德顯功雖大致同歸所託或乖若夫出處有道容辭不滯風軌德音爲世作範不可廢也三國名臣序贊

摯虞曰言一國之事繫一人之本謂之風言天下之事形四方之風謂之雅文章流別

又曰古之作詩者發乎情止乎禮義情之發因辭以形之禮義之指須事以明之

又曰賦者敷陳之稱也比者喻類之言也興者有感之辭也鍾嶸曰因物喻志比也文已盡而意有餘興也直書其事寓言寫物賦也梁本傳

又曰詩之三言者振振鷺鷺于飛之屬是也五言者誰謂雀無角何以穿我屋之屬是也六言者我姑酌彼金罍之屬是也七言者交交黃鳥止于桑之屬是也九言者泂酌彼行潦挹彼注茲之屬是也正義曰詩二字者祈父肇禋之類也三字者綏萬邦屢豐年之類也七字者尚之以瓊華乎而如彼築室于道謀之類也八字者我不敢效我友自逸之類也

左思曰詩有六義先王采焉以觀土風見綠竹猗猗則知衛地淇澳之產見在其版屋則知秦野西戎之宅文選三都賦序

傳咸曰詩之雅頌書之典謨文質足以相副玩之若近尋之益遠陳之若肆研之益隱浩浩乎文章之淵府也御覽五百九十九

蘇子曰哀王道傷時政莫過乎詩御覽六百二十九按蘇子未詳何時人附著於此

楊泉曰能理亂絲方可讀詩余雖無治絲之能而悟聞詩之義物理論太平御覽

劉勰曰詩者持也持人情性三百之蔽義歸無邪持之爲訓有符焉爾文心雕龍

又曰詩人感物聯類不窮流連萬象之際沈吟視聽之區寫氣圖貌既隨物以宛轉屬采附聲亦與心而徘徊故灼灼狀桃花之鮮依依盡楊柳之態杲杲爲日出之容瀌瀌擬雨雪之狀喈喈逐黃鳥之聲喓喓學草蟲之韻皎日嘒星一言窮理參差沃若兩字連形並以少總多情貌無遺矣雖復思經千載將何易奪乎

又曰比之爲義取類不常或喻於聲或方於貌或擬於心或譬於事故金錫以喻明德圭璋以譬秀民螟蛉以類教誨蜩螗以寫號呼澣衣以擬心憂席卷以方志固凡斯切象皆比義也

蕭子雲曰殷頌周雅稱美則一而復各述時事梁書本傳

顏之推曰北面事親别舅摛渭陽之詠堂上養老送兄賦北山之悲皆大失也顏氏家訓文章篇　嚴可均曰北山當作桓山見說苑辨物篇桓一作完

王通曰詩有天下之作焉有一國之作焉有神明之作焉

文中子

又曰詩失於齊魯　又曰齊韓毛鄭詩之末也

薛收曰詩者上明三綱下達五常徵存亡辨得失小人歌之以覺其俗君子賦之以見其志聖人采之以觀其變文中子

徐堅曰周衰而詩作蓋康王時也康王德缺於房大臣刺焉故詩作初學記

劉知幾曰國有否泰世有隆汙作者形言本無定准故觀猗那之頌驗有殷方興歌魚藻之什知宗周將殞史通

成伯璵曰周召二南國風之正始鹿鳴至菁莪小雅之正始文王至卷阿大雅之正始清廟至般頌之正始毛詩指說

又曰詩有重章共述一事采蘋是也一事而有數章甘棠是也首章同而末異東山是也首章異而末同漢廣是也

賈公彥曰關雎二南謂之房中之樂者后妃以風喻君子之詩故謂房中之樂周禮疏

又曰太師諷誦詩背文曰諷以聲節之曰誦同

鄭覃曰詩之雅頌皆下刺上所為非上化下而作王者採詩以考風俗得失仲尼刪定以為世規舊唐書本傳

詩家源流

魯詩

浮丘伯漢書儒林傳孫卿門人高后時在長安元王子與申公俱從受詩卒業 指說丘伯齊人秦時諸生

申公儒林傳魯人事浮丘伯受詩以詩經爲訓故以教亡傳疑者闕弗傳弟子自遠至者千餘人文帝聞申公爲詩最精以爲博士申公始爲詩傳號魯詩武帝使使安車蒲輪迎申公見上問爲治之道對曰爲治者不在多言顧力行何如耳

穆生儒林傳魯人與白生申公俱受詩於浮丘伯

白生

楚元王交漢書本傳字游高祖同父少弟與申公俱受詩於浮丘伯申公爲詩傳元王亦次之詩傳號曰元王詩

郢客元王子受詩於浮丘伯

向元王子辟彊孫宗正德子字子政

歆向少子字子駿河平中受詔與父向領校秘書按向歆本傳皆不言習魯詩然漢人皆世守其學故後之稱向歆說者俱以爲魯詩也

孔安國儒林傳魯人臨淮太守申公弟子

王臧釋文蘭陵人郎中令申公弟子

趙綰儒林傳代人御史大夫申公弟子

周霸膠西內史申公弟子

夏寬城陽內史申公弟子

魯賜碭人東海太守申公弟子

繆生蘭陵人長沙內史申公弟子

徐偃膠西中尉申公弟子

闕門慶忌鄒人膠東內史申公弟子以上俱儒林申公傳

大江公 儒林傳瑕邱人受申公詩傳子至孫爲博士

小江公 儒林傳世爲魯詩宗 後漢注江翁魯人昭帝時爲博士

許生 魯人守魯詩教授

徐公 免中人守魯詩教授

王式 本傳字翁思東平新桃人事徐公及許生爲昌邑王師以詩諫

韋賢 釋文字長孺 儒林傳治詩事博士大江公及許生 本傳賢爲人質樸少篤志於學稱鄒魯大儒爲博士授昭帝詩

元成 本傳賢少子元成少好學修父業 釋文字少翁父子並爲丞相封扶陽侯

賞 賢兄子俱以詩授哀帝由是魯詩有韋氏學 指說哀作昭爲大司馬車騎將軍

唐長賓 儒林傳東平人王式弟子 釋文爲博士楚王太傅

張長君 儒林傳山陽人式弟子

幼君 釋文張長安字幼君山陽人爲博士論石渠至淮陽太守

游卿 釋文張生長安兄子 儒林傳諫大夫以詩授元帝 按釋文疑卽長君子也

褚少孫 指說少孫沛人爲博士 釋文褚氏家傳卽續史記褚先生 儒林傳皆式弟子由是魯詩有張唐褚氏之學

薛廣德 本傳字長卿沛郡相人以魯詩教授 儒林傳廣德事王式以博士論石渠 指說爲御史大夫

高嘉 陸疏平原人以魯詩授元帝爲上谷太守傳子容少爲光祿大夫

龔勝 本傳字君賓師事薛廣德治魯詩

舍 本傳字君倩與勝俱楚人少好學通五經以魯詩教受哀帝時拜光祿大夫不起

王扶 儒林傳瑯邪人張游卿弟子爲泗水中尉

許晏 儒林傳陳留人游卿弟子爲博士 陳留風俗傳晏字偉君授魯詩於瑯邪王扶改學曰許氏章句 諺曰殿上成羣許偉君見太平御覽

卓茂 後漢書本傳字子康南陽宛人事博士江生習詩光武時爲大傅封褒德侯 注江翁爲魯詩宗

許晃　魯詩博士弟子李業

李業　後漢獨行傳字巨游廣漢梓潼人少有志操習魯詩師事許晃元始初明經除郎王莽居攝去官公孫述徵之不屈卒光武詔表其閭

魯恭　本傳字仲康扶風人居大學習魯詩閉戶講誦絕人閒事爲諸儒所稱永初中爲司徒

魯丕　本傳恭弟字叔陵兼通五經以魯詩教授爲當世名儒永初中爲侍中中郎將

高詡　儒林傳字季回平原人曾祖父嘉詡世傳魯詩以信行清操知名

右師細君　儒林傳包咸師之授魯詩

包咸　儒林傳字子良會稽曲阿人少習魯詩拜諫議大夫

魏應　儒林傳字君伯任城人少好學習魯詩建初中拜五官中郎將時會京師諸儒於白虎觀講論五經同異使應專掌問難

魯峻　字仲嚴山陽昌邑人治魯詩隸釋七

武榮　漢碑治魯詩韋君章句見隸釋

陳重　本傳字景公豫章宜春人學魯詩

雷義　與陳重同郡俱學魯詩

蔡朗　蔡邕集陳留人以魯詩教授生徒雲集自遠而至後爲瑯邪王太傅

齊詩

轅固生　史記儒林傳齊人以治詩爲博士武帝初以賢良徵時公孫宏亦徵仄目而事固固曰公孫子務正學以言毋曲學以阿世諸以齊詩貴顯皆固之弟子　釋文景帝時官清河太傅作齊詩傳

夏侯始昌　指說轅固生授始昌爲昌邑王太傅漢書本傳魯人通五經以齊詩教授

后蒼　儒林傳字近君東海郯人事夏侯始昌通詩爲博士　藝文志齊后氏故二十卷齊后氏傳三十九卷

孫氏　藝文志齊孫氏故二十七卷齊孫氏傳二十八卷

翼奉　漢書本傳字少君東海下邳人治齊詩與蕭望之同師　釋文奉爲博士諫大夫　儒林傳后蒼授翼奉蕭望之匡衡

匡衡 本傳字稚圭東海承人好學精力過人諸人爲之語曰毋說詩匡鼎來匡說詩解人頤　釋文爲丞相封樂安侯子咸亦明經歷九卿

伏理 字斿君陸疏丞相匡衡授高密太傅伏理　前書伏湛傳理當世名儒以詩授成帝　後漢書家世傳業由是齊詩有翼匡師伏之學

蕭望之 本傳字長倩東海蘭陵人好學治齊詩事同縣后蒼十年

師丹 本傳字仲公琅邪東武人治詩事匡衡爲大司空封高樂侯唐林曰丹經爲世儒宗德爲國黃耇　釋文字公仲

伏黯 後漢書伏恭傳黯字稚文司徒湛弟琅琊東武人以明齊詩改定章句作解說九篇

伏恭 本傳字叔齊父黯齊詩章句繁多恭乃減省浮詞定爲二十萬言

滿昌 前書儒林傳字君都潁川人爲詹事

張邯 儒林傳九江人滿昌弟子

皮容 儒林傳琅邪人事滿昌　釋文與邯皆至大官徒眾尤盛

馬援 後漢書本傳字文淵扶風人嘗受韓詩意不能守章句　東觀漢記援師潁川滿昌　按昌治齊詩者援豈始治韓而後更齊學也耶

任末 後漢書本傳字叔本蜀郡繁人少習齊詩游京師教授十餘年

景鸞 本傳字漢伯梓潼人理齊詩作易說及詩解凡五十餘萬言州郡辟命不就

陳紀 指說後漢陳元方亦學齊詩　魏志注紀歷位侍中大鴻臚著書數十篇世謂陳子

韓詩

韓嬰 史記儒林傳齊人爲常山王太傅推詩人之意而爲內外傳數萬言其語頗與齊魯間殊然其歸一也燕趙間言詩者由韓生　漢藝文志韓故三十六卷內傳四卷外傳六卷　隋經籍志韓嬰注二十二卷外傳十卷　唐藝文志韓嬰詩序二卷

商 儒林傳嬰孫爲博士

生 儒林傳嬰後孝宣時涿郡人　漢藝文志韓說四十一卷

賁生 儒林傳淮南人受又韓詩　指說賁生傳河內趙生

趙子 儒林傳河內人事燕韓生授同郡蔡誼

蔡義 漢書本傳河內溫人以明經給事大將軍莫府久之詔求能爲韓詩者徵義見上說詩甚悅之指說誼爲丞相以詩授昭帝

食生子公 儒林傳受蔡義韓詩 釋文爲博士

王吉 漢書本傳字子陽琅邪皋虞人少好學明經爲昌邑王中尉 釋文爲諫大夫王駿父能爲鄒氏春秋以韓詩教授

栗豐 儒林傳泰山人食生授韓詩 釋文爲部刺史

長孫順 儒林傳淄川人爲博士王吉授韓詩

張就 儒林傳山陽人栗豐授韓詩

髮福 釋文一作段福 儒林傳東海人長孫順授韓詩由是韓詩有王食長孫之學

郅鄆 後漢書本傳字君章汝南西平人理韓詩爲上東門城侯參邦尉光武令授皇太子韓詩

劉寬 本傳字文饒華陰人爲三公謝承書曰少習韓詩傳

薛夫子 唐書宰相世系表名方回薛廣德曾孫漢父

薛漢 後漢儒林傳字公子淮陽人世習韓詩父子以章句著名永平中爲千乘太守 陸疏漢傳父業尤善說災異受詔定圖讖當世言詩推爲長後坐事下獄

杜撫 儒林傳字叔和犍爲武陽人少受業於薛漢定韓詩章句爲東平王蒼所辟建初中爲公車令其所作詩題約義通學者傳之日杜君注云

廉范 本傳字叔度京兆杜陵人受業博士薛漢漢坐楚王事誅故人門生莫敢視范獨往收斂之建初中爲蜀郡太守

尹勤 東觀漢記事薛漢治韓詩事親至孝無有交游

韓伯高 儒林傳鉅鹿人薛漢弟子

澹臺敬伯 儒林傳會稽人薛漢弟子

召馴 儒林傳字伯春九江壽春人曾祖信臣馴少習韓詩博通書卷以志義聞鄉里語曰德行循循召伯春

趙煜 儒林傳字長君會稽山陰人少詣杜撫受韓詩著吳越春秋詩細蔡邕以爲長于論衡舉有道卒於家譜 隋經籍志趙煜韓詩二卷詩歷神泉一卷

楊仁 儒林傳字文義巴郡閬中人學韓詩靜居教授肅宗時爲什邡令勸課掾史子弟悉令就學

張匡 儒林傳字文通習韓詩作章句舉有道博士徵不就

李恂 後漢書本傳字叔英安定臨涇人少習韓詩教授諸生常數百人拜武威太守

廖扶 本傳字文起汝南平輿人習韓詩教授常數百人

唐檀 字子產豫章南昌人少習韓詩見廖扶傳

公沙穆 字文乂北海膠東人習韓詩尤鋭思河洛推步之術見廖扶傳

鄭康成 本傳北海高密人從東郡張恭祖受韓詩

陳囂 東觀漢記字君期明韓詩時人語曰關東說詩陳君期 太平御覽

夏恭 儒林傳字敬公梁國蒙人習韓詩

樊安 字子仲南陽湖陽人治韓詩 隸釋

武梁 字綏宗治韓詩

馮緄 字皇卿治韓詩

馬江 字元海治韓詩

丁魴 字叔河治韓詩以上俱隸釋

侯包 隋經籍志漢人著韓詩翼要十卷包一作苞

杜瓊 蜀志本傳字伯瑜成都人後主時爲中郎將大鴻臚著韓詩章句十餘萬言

張紘 吳志本傳字子綱廣陵人吳書紘於外黃從濮陽闓受韓詩仕吳爲會稽都尉

崔季珪 魏志清河東武城人少讀韓詩就鄭氏學

梁景 沈約集景少習韓詩爲世通儒宋元嘉元年爲尚書令

毛詩

毛公 毛詩指說魯人於其家作詩訓故曰毛詩 前漢儒林傳論曰毛公之學自謂子夏所傳河間獻王好之未得立 釋文魯人

釋文吳大常卿徐整曰子夏傳高行子授薛倉子授
帛妙子授大毛公河間人為詩故訓傳一云子夏傳曾申曾子
子傳李克魏人傳孟仲子魯人子思弟子傳根牟子傳孫卿子趙人
傳大毛公

毛萇前漢儒林傳趙人為河間獻王博士指說號小毛公隋志漢河間太守漢藝文志毛詩二十九卷毛詩訓故傳三十卷

河間獻王德本傳景帝子修學好古實事求是其學舉六藝立毛氏詩

貫長卿釋文徐整作貫長公指說小毛公傳同郡貫長卿

解延年釋文齊人武阿令指說長卿傳解延年

徐敖指說延年授徐敖敖為口風亦學[illegible]公以詩別傳王式

陳俠後漢書儒林傳九江人講學大夫指說徐敖授陳俠

謝曼卿儒林傳九江人善為詩乃為其訓釋文陳俠傳謝曼卿元始五年公車徵說詩

衛宏儒林傳字敬仲東海人從謝曼卿學作毛詩序善得風雅之旨於今傳於世

鄭衆陸疏傳毛詩學作毛詩傳

賈逵後漢書本傳字景伯平陵扶風人學毛詩於謝曼卿肅宗令撰齊魯韓詩與毛詩異同

馬融本傳字季長扶風茂陵人從京兆摯恂學博通經籍桓帝時為南郡太守釋文作毛詩注

徐巡陸疏濟南人師事衛宏以儒顯

許慈蜀志本傳字仁篤南陽人事劉熙善鄭氏學治毛詩

李譔蜀志本傳字欽仲梓潼涪人著毛詩指歸延熙初為中散大夫

王肅魏志王朗傳肅字子雍東海人善賈馬之學而不好鄭氏采會同異為詩解為常侍領秘書監

王基釋文字伯輿荊州刺史東萊人隋志魏司空王基毛詩駁五卷

劉楨魏志字公幹東平人後為上艾長隋志魏太子文學毛詩義問十卷

韋曜吳志本傳字宏嗣吳郡雲陽人少好學孫休時為博士祭酒裴注曜本名昭晉諱隋志毛詩答問六卷

陸璣 釋文字元恪吳郡人吳太子中庶子 隋志吳烏程令撰毛詩草本蟲魚疏二卷

郭璞 晉書本傳字景純河東聞喜人 隋志郭璞毛詩拾遺一卷

謝沈 晉儒林傳字行思會稽山陰人博學多識明練經史除著作郎著後漢書毛詩行於世 隋志沈毛詩釋義十卷釋文謝沈注二十卷

孫毓 釋文字休朗北海平昌人晉豫州刺史爲詩評評毛鄭王肅三家同異 隋志晉長沙太守撰毛詩異同評十卷

江熙 釋文字太和濟陽人東晉兗州別駕撰毛詩注二十卷

陳統 隋經籍志晉徐州從事孫氏評四卷表隱二卷

楊乂 釋文字仲倫豫章人 隋志晉給事郎毛詩辨異三卷

雷次宗 宋書本傳字仲倫豫章南昌人少入廬山篤志好學隱退不交世務明詩 隋志宋通直郎毛詩序義二卷

周續之 釋文字道祖雁門人宋徵士與雷次宗同師 宋書本傳通毛詩六義皆傳於世

阮侃 釋文字德恕陳留人河內太守爲詩音

江惇 釋文字思俊河內人東晉徵士爲詩音

葉遵 隋志宋奉朝請葉詩二十卷

劉瓛 南史本傳字子珪沛郡相人篤志好學博通訓義齊武帝歷徵不就謚貞簡先生 隋志瓛毛詩序義十卷

顧歡 齊書本傳字景怡吳郡鹽官人篤志好學躬耕誦書永明初徵歡爲博士不就 隋志毛詩集解敘義一卷

沈重 南史本傳字子厚吳興武康人博覽羣書尤明詩後梁拜散騎常侍著毛詩義二十八卷毛詩音二卷

崔靈恩 南史本傳清河東武城人少篤學徧習五經梁天監中除國子博士注毛詩二十四卷

許懋 梁書本傳字昭哲高陽新城人篤志好學撰毛詩風雅比興義十五卷盛行於世

伏曼容 梁本傳字公儀平昌安邱人著毛詩集解

何允梁本傳字子季廬江灊人師事沛國劉瓛撰毛詩總集六卷毛詩隱義十卷

李鉉北齊書字寶鼎撰毛詩義疏

劉芳魏書本傳字伯文彭城人楚元王後爲國子祭酒延昌初贈鎮東將軍謚文貞撰毛詩箋音義證十卷

元延明魏書本傳安豐王猛子博極羣書兼有文藻撰詩禮別義注　隋志後魏安豐王毛詩誼府三卷

張譏陳書本傳字直言清河武城人撰毛詩義十卷

劉炫北史儒林傳字光伯河間景城人　隋志國子助教劉炫毛詩述義四十卷

魯世達儒林傳餘杭人煬帝時爲國子助教撰毛詩章句義疏四十二卷

詩經廣詁　國風

敬躋堂經解

桐城徐璈輯錄

國風

樂記師乙曰正直而靜廉而謙者宜歌風

荀子曰國風之好色也盈其欲不愆其止其誠可比於金石其聲可內於宗廟儒效篇

匡衡曰室家之道修則天下之理得詩始國風所以厚情性而明人倫也漢書本傳

何休曰男女有所怨恨相從而歌饑者歌其食勞者歌其事男年六十女年五十無子者官衣食之使之民間求詩鄉移于邑邑移于國國以聞于天子公羊傳解詁宣公十五年

柳晃曰古者陳詩以觀人風君子之風仁義是也小人之風邪佞是也風生於文文生於質天地之性也止於經聖人之道也感於心哀樂之音也故觀乎志而知國風文粹四十第一

周南

孔叢子孔子曰吾於周南召南見周之所以盛也記義篇

呂氏春秋禹巡省南土塗山氏之女作歌實始爲南音周公及召公取風焉以爲周南召南音初篇

韓詩敘曰其地在南郡南陽之間水經注江水

匡衡曰國風之詩周南召南被賢聖之化深故篤於行而廉於色漢書本傳

鄭康成曰屬南召南之詩謂之房中之樂者后夫人之所諷誦以事其君子儀禮注

酈道元曰南國名也南氏有二臣力鈞勢敵競進爭取君弗能制南氏用分二南國也水經注江水引周書

張晏曰自陜以東皆周南之地漢書司馬遷傳注

司馬貞曰詩有周召二南皆在岐山之陽故言南也史記燕世家索隱

左傳吳公子札觀於周樂爲之歌周南召南曰美哉始基之矣注王化之基猶未也然勤而不怨矣注猶有商紂未能安樂然其意不怨怒襄公二十九年

魏書梁武帝問於李業興曰詩周南王者之風繫之周公召南仁賢之風繫之召公何名爲繫對曰鄭注儀禮曰昔大王王季居於岐陽躬行召南之教以興王業及文王行今周南之教以受命作邑於酆分其故地屬之

二公武帝又問曰若是故地應自統攝何由分封二公業興曰文王爲諸侯之時所化之本國今既登九五之尊不可復守諸侯之故地故分封二公儒林本傳

〈關雎〉三章朱載堉曰西安石經關雎五章

魯詩曰后夫人雞鳴佩玉去君所周康王后不然故詩人歎而傷之漢書杜欽疏曰佩玉晏鳴關雎嘆之臣瓚曰此魯詩也李奇注引魯詩云云後漢書注並同

列女傳曲沃媍曰康王夫人晏出朝關雎起興思得淑女以配君子范處義曰劉向元王交之孫元王授魯詩向之說必出於魯氏之學詩補傳

楊賜曰昔周康王承文王之盛一朝晏起夫人不鳴璜宮門不擊柝關雎之人見幾而作袁宏後漢靈帝紀後漢書楊賜傳同又后妃傳敘曰康王晚朝關雎作諷楊子孝至篇曰周康之時頌聲作乎下關雎作乎上習治也故習治則傷

始亂也

韓詩敘曰刺時也詩攷按後漢章帝紀應門失守關雎刺世注引韓詩章句以證故王氏云然

司馬遷曰周道缺詩人本之衽席關雎作史記十二諸侯年表序

張超曰關雎畢公作詩補傳困學紀聞惠棟曰藝文類聚有張超誚青衣賦云周漸將衰康王晏起畢公喟然深思古道感彼關雎德不雙侶但願周公妃以窈窕防微消漸諷諭君父孔氏大之列冠篇首超漢末人璈按文苑此賦蔡邕作范處義曰關雎作於康王之時乃畢公追詠文王大姒之事以爲規諫故孔子定爲一經之首

張衡曰偉關雎之戒女文選思元賦

詩推度災曰關雎知原冀得賢妃正八嬪太平御覽五百二十

焦氏易林貞鳥鳴鳩執一無尤寢門治理君子悅喜晉之同人

關關雎鳩

家語孔子曰關雎興於鳥而君子美之取其雌雄之有別也淮南子泰族訓同

列女傳曲沃媍曰雎鳩之鳥未嘗見乘居而匹處也羅願曰思元賦雎鳩相和歸田賦交頸頡頏是乘居匹游也璈按據列女傳所釋是毛與魯同平子微用殆齊韓義也

劉勰曰關雎有別后妃有德德貴其別不嫌於鷙鳥文心雕龍比興篇錢澄之曰鴡左傳作鴡郯子云雎鳩氏司馬也杜注鴡鳩摯而有別故爲司馬主法制

風土記說詩義者或說雎鳩爲白鷢白鷢鶚屬於義無取蓋蒼鶂大於白鷺而色蒼其鳴戛和順又逆於冰而息於洲常隻不雙御覽九百二十六引

玉篇曰關關和鳴也或爲（喧）引詩

張守節曰關雎王雎金口鶚也（史記正義）

在河之洲

薛詩章句曰詩人言雎鳩貞潔慎匹以聲相求必於河洲隱蔽無人之處（後漢書明帝紀注）

許慎曰在河之(州)水中可居曰州周遶其旁（說文敍曰今別作洲非）

成伯瑜曰在河洲之闊遠喻門壼之幽深（毛詩指說）

窈窕淑女

韓詩曰淑女奉順坤德成其紀綱（文選哀策文注）

薛君章句曰窈窕貞專貌（文選顏延之詩注）又曰古者人君退朝入於私宮后妃御見去留有度應門擊柝鼓人上堂退返晏處體安志明今時大人內傾於色賢人見其萌故詠關雎說淑女正容儀以刺時（後漢書章帝紀注馮衍傳注並同）

王肅曰善心曰窈善容曰窕（正義又揚子釋文同）

王逸曰窈窕好貌（楚詞九歌注引詩）

廣韻曰美色曰窕（引詩璈按方言美狀為窕郭注言閑都也美心為窕郭注言幽靜也）

君子好逑

焦贛曰雎鳩淑女聖賢配偶（易林履）

劉向曰言賢女能為君子和好眾妾也（列女傳湯妃篇引詩郝懿行曰此蓋魯詩說為鄭箋所本）

皇甫規曰關雎首化萬國承流實有淑女允作好逑（藝文類聚）

鄭康成曰君子好(仇)仇匹也（禮記註爾雅註文選景福殿賦注思元賦舊注並同文選六臣注作(求)）孔疏曰君子之人以好人為匹也

列女傳班婕好說之女賢才通辯選入後宮每誦詩窈窕淑女之篇必三復之太平御覽
後漢書應奉曰臣聞周納翟女襄王出居於鄭漢立飛燕成帝胤嗣泯絕宜思關雎之所求遠五禁之所忌本傳時以田貴人爲后奉上書 瑴按此似訓逑爲求或字一作求也

參差荇菜

顏之推曰參差荇菜荇或爲莕釋文莕本一作荇先儒解釋皆云水草圓葉細莖隨水淺深今是水悉有之黃花似蓴江南亦呼爲豬蓴或呼爲荇菜劉芳具有注釋而河北人多不識之博士皆以參差者是莧菜呼人莧爲人荇顏氏家訓

說文槮差荇菜盧文弨曰五經文字引說文作𣹡今本脫水旁

寤寐思服

王肅曰服膺思念之正義

輾轉反側

王逸曰展轉反側展轉不寐貌楚詞九懷注文選秋興賦注後漢書光武紀注輾並作展 段玉裁曰說文無輾字釋文曰呂忱作輾則輾字起于字林也

李賢曰反側不安也後漢書光武紀注引詩

左右芼之

許慎曰芼艸覆蔓也說文引詩 爾雅釋言芼搴也

顧野王曰左右覒之覒擇也本亦作芼玉篇 陳啟源曰覒本訓擇芼乃覒之借耳 瑴按廣雅覒視也蓋諦視而擇之其義相成也

鐘鼓樂之

侯包曰后妃房中樂有鐘聲隋樂志 瑴按不兼言鼓則鼓爲擊義此韓家之訓

正

荷蘭諸國風俗

也

韓詩外傳鼓鐘樂之 璥按韓作鼓鐘謂擊鐘也故靈台曰於論鼓鐘又曰鼉鼓逢逢鐘蓋編鐘左傳所謂歌鐘也

北史隋文帝問房暉遠曰自古天子有女樂乎對曰臣聞窈窕淑女鐘鼓樂之此卽王者房中之樂 房暉遠本傳

韓詩外傳曰關雎至矣乎仰則天俯則地幽幽冥冥德之所藏紛紛沸沸道之所行大哉關雎之道萬物之所繫羣生之所懸命也

孔安國曰關雎樂而不至淫哀而不至傷言其和也 皇侃論語義疏

司馬遷曰易基乾坤詩始關雎書美釐降春秋譏不親迎夫婦之際人道之大倫也 史記外戚世家

匡衡曰妃匹之際生民之始萬福之原婚姻之禮正然後品物遂而天命全孔子論詩以關雎爲始言太上者民之父母后夫人之行不侔乎天地則無以奉神靈之統而理萬物之宜故詩曰窈窕淑女君子好逑言能致其貞淑不貳其操情欲之感無介乎容儀晏私之意不形乎動靜夫然後可以配至尊而爲宗廟主此綱紀之首王教之端也自上世以來三代興廢未有不由者也 漢書本傳

天祿閣外史曰風始於關雎其風化也以之風諸民而民化以之和諸樂而樂隆是故關雎者禮樂之原也文王以懿睿之德猶不自聖惟后妃是求以助陽政故正王宮而風天下卽文王之爲也

世說謝征西稱關雎有不妬忌之德夫人問詩是誰人所作曰周公作也

葛覃三章

蔡邕賦曰葛覃恐其失時文苑協和婚賦曰考遂初之原本覽陰陽之綱紀乾坤和其剛柔艮兌感其脢腓葛覃恐其失時摽梅求其庶士唯休和之盛代男女得乎年齒婚姻協而莫違播欣欣之繁祉璬按賦意蓋以葛之長大而可為絺綌如女之及時而當歸于夫家刈濩汚澣且以見婦功之教成也故與摽梅並稱是亦士大夫婚姻之詩與何氏謂歸寧非諸侯夫人之禮者義同其魯家之訓與

徐彥曰何氏以為大夫妻之事不信毛敘也公羊傳疏何休說見後

葛之覃兮

五經文字葛覃儀禮注禮記釋文九經字樣並同

施於中谷

王肅曰葛生於此延蔓於彼猶女之當外成也正義

顏師古曰此與施於條枚義兼訓移音亦為馳匡謬正俗

維葉萋萋

薛君章句曰惟辭也文選羽獵賦註萋萋盛也文選藉田賦註

黃鳥于飛

高誘曰黃鳥于飛黃鳥蒼庚爾雅曰商庚黎黃楚雀也

秦人謂之黃離齊人謂之摶黍呂氏春秋仲春紀注

集于灌木

顏之推曰集于灌木灌木叢木也江南本為藂聚之藂近世改為最解云木之最高長者周續之毛詩音為徂會反劉昌宗詩註音為祖會反皆失爾雅訓也顏氏家訓

劉良曰草木雜生曰灌文選註引詩

是刈是濩

韓詩曰刈取也濩瀹也釋文

韓詩曰以似以其山勢曲折也

疊疊草木森山曰巇
會又陰昌崇詩皆曾鹼脉會又岸大爾雅
式州文爲最是云水之曰高是木聞鹼之山
頃之事曰築午叢木叢木山江南本乾叢之叢

黃鳥午飛
秦人賦之黃牆齊人臨之聲之詩午秦
荷為曰黃鳥午飛黃鳥叢其爾雅曰南午叢之也

靷昏章句曰譍詩繹曲文叢叢盤山文叢叢
爾靖古曰出與詩放文義兼臨詩詩水德也
王循曰甚井茲茸其意萁之之當心致也
弧伏中谷
正蘇文字萬寶〇爾韻半攀並可同文
蕒之章令

余蓋曰竹茲以爲火夫叢之率不當于餘也公
菜茴加曰其本賣菊文叢

蘇李堂叢書〔斯干賈〕六

孫炎曰煮葛爲絺綌以煮之於濩故曰濩煮爾雅注引詩

爾雅是刈是〔鑊〕白帖是刈是〔濩〕御覽同　釋文是〔艾〕是

濩

服之無斁

許愼曰斁解也厭也說文引詩

禮記緇衣服之無〔射〕　鄭注射厭也言己願采葛以爲君子之衣令君子服之無厭言不虛也按此與箋義異又文選詩引詩亦作〔射〕北史袁充幼警悟十餘歲有父黨至門時冬初充尚衣葛衫客戲曰絺兮綌兮淒其以風充應聲曰唯絺與綌服之無斁以是大見嗟賞本傳

言告師氏

班固曰婦人之所以有師者學事人之道也白虎通引詩

歸寧父母

何休曰諸侯夫人尊重既嫁非有大故不得反唯自大夫妻雖無事歲一歸寧公羊傳解詁　惠周惕曰婦人謂嫁曰歸在父母家躬行節儉尊敬師傅能爲女知其能爲婦所謂無父母詒罹也　璈按此與何氏皆謂諸侯夫人無歸寧之禮

干寶曰周之后妃躬行四教尊師傅服澣濯之衣修煩辱之事化天下以成婦道是以漢濱之女守潔白之志中林之士有純一之德晉書愍帝紀晉總論

〔卷耳〕四章

左傳曰君子謂楚於是能官人官人國之急也詩云嗟我懷人寘彼周行能官人也王及公侯伯子男甸采衞大夫各居其列所謂周行也襄公十五年

易林元黃虺隤行者勞疲役夫憔悴踰時不歸乾之革　何焯曰此君子行役其室家思念之與召南草蟲詩相似

劉墝曰詠卷耳則忠臣喜唐書按劉本束晳語見藝文類聚三十晁說之曰卷耳康王時詩范家相曰晁氏詩序以卷耳鵲巢采蘩采蘋爲康王時詩今無所攷

采采卷耳不盈頃筐嗟我懷人寘彼周行

韓詩曰頃筐欹筐也釋文璥按欹與欹器之欹同非置于其處而欹也

荀子曰頃筐易滿也卷耳易得也然而不可以貳周行故曰心枝則無知傾則不精貳則疑惑解蔽篇楊倞註曰采易得之物實易滿之器以懷人寘周行之心貳之則不能滿況乎難得之正道而可以他術貳之乎劉做曰心不專則無所獲也

淮南子曰嗟我懷人寘彼周行以言慕遠世也俶真訓高誘註曰言采易得之菜不滿易盈之器以言君子爲國執心不精不能以成其道也嗟我懷人寘彼周行

言我思古君子官賢人置之行位誠古之賢人各得其行列故曰慕遠也璥按楊註荀與高註淮南說詩義分合互異懷人句高兼用左氏義也

杜預曰周徧也詩人嗟嘆言我思得賢人置之徧於列位是后妃之志以官人爲急左傳襄公十五年注

陸德明曰䔲耳詩作卷耳陶氏一名羊負來爾雅釋文

我馬虺隤

孫炎曰馬不能升之病釋文

說文我馬瘦頹夊玉篇集韻作虺隤

我姑酌彼金罍

韓詩曰罍天子以玉飾諸侯大夫以黃金飾士以梓詩正義周禮爾雅疏釋文竝同

說文曰我夃酌彼金罍秦人以市買多得爲夃胡文英曰夃盡

也盡飲金罍而醉藉酒忘懷也

應劭曰酌彼金罍畫雲雷之象以金飾之也史記梁世家漢書文三王傳註並同

陟彼高岡

文選注陟彼高崗御覽眾經音義同

我姑酌彼兕觥

韓詩說曰一升曰爵爵盡也足也二升曰觚觚寡也飲當寡少也三升曰觶觶適也飲當自適也四升曰角角觸也不能自適觸罪過也五升曰散散訕也飲酒不自節爲人謗訕總名曰爵其實曰觴觴者餉也觥亦五升所以罰不敬也觥廓也所以著明之貌君子廓然著明非所以餉不得名觴禮記左傳正義並同

陟彼砠矣

說文陟彼岨矣　釋文陟彼砠矣五經文字云砠亦作岨見詩風

我馬瘏矣

爾雅釋文馬瘏詩作屠戴溪曰僕曰我僕馬曰我馬見國家休戚內外同之也

云何吁矣

薛君曰云辭也文選傳咸詩註

爾雅註云何盱矣盱長目遠望也何楷曰望賢者之來而解吾思也　釋文作吁

樛木三章

何楷曰書云大邦畏其力小邦懷其德詩謂南國諸侯歸心文王而作

南有樛木葛藟纍之

韓詩曰南有𣏂木釋文說文下句曰樛高木曰𣏂按水經注引周書南國名後分爲二

蓋以前舊有南氏之國後因其地錫以周召之名詩詠南有樛木南有喬木皆舉其所有而實之於南國也

王逸曰葛藟〈虆〉之藟巨荒也虆緣也楚詞九懷注何楷曰文王之德遠及南方如樛木之蔭下小國有所歸依如葛藟之得所繫瑯按墨子云昔者文王封于岐周與其百姓兼相愛交相利近者安其政遠者歸其德聞文王者皆起而趨之處而願之是以天鬼富之諸侯與之未殁其世而王天下足與此詩之義相證明也

李善曰葛藟二草名也言二草之託樛木喻婦人之託夫家也文選窮婦賦注瑯按李以樛木喻君子則葛藟喻夫人及妃妾與箋異指殆韓義耶

樂只君子福履綏之

曹大家曰此安樂之象也文選幽通賦註引詩

葛藟縈之

許愼曰葛藟〈藥〉之藥草旋貌說文釋文一作〈縈〉

〈螽斯〉三章

譙元曰王者承天繼宗統極保業莫急允嗣故詩詠衆多之福後漢書本傳

毛詩題綱曰螽斯喻后妃之性不妬忌子孫衆多太平御覽

螽斯羽

毛詩題綱曰螽斯一名春黍似蝗而小青色長股而鳴御覽九百四十六爾雅蜤螽釋文蜤又作蟴詩作斯

詵詵兮

說文〈鋅〉〈鋅〉兮釋文引段云今說文無鋅字玉篇曰鋅多也又曰詵詵兮詵致言也

宜爾子孫

詩傳曰文王十子伯邑考武王發周公旦管叔鮮蔡叔度曹叔振鐸成叔處霍叔武康叔封南季載白虎通義按此與

列女傳同所引詩傳當爲魯詩傳也

薨薨兮

釋文〔雄〕〔雄〕兮顧舍人本

韓詩外傳曰言賢母能使子賢也璈按釋訓憴憴戒也傳訓繩爲戒愼字當作〔憴〕今定本作繩有繩世象賢義當從韓矣

繩繩兮

後漢紀順烈梁后曰陽以博施爲德陰以不專爲義螽斯則百福之所由興也本紀后治韓詩

後漢書襄楷疏曰昔文王一妻誕數十男今宮女數千未聞慶育宜修德省刑以廣螽斯之祚本傳

張華曰比心螽斯則繁爾類文選女史箴

桃夭三章

易林桃夭少華婚悅宜家困之觀戴震曰蓋嫁子通用之樂章

桃之夭夭

說文桃之〔枖〕〔枖〕枖木少貌又曰桃之〔𡝩〕〔𡝩〕𡝩巧也一曰女子笑貌也段玉裁曰木部作枖此又作𡝩蓋三家詩璈按說文以女子言此喻意也廣雅𡝩𡝩茂也乃正言桃之茂盛也

徐鍇曰桃之夭夭喻女子在家形體日盈長也說文繫傳

劉良曰夭夭美貌灼灼明貌文選阮籍詩注引詩

其葉蓁蓁

通典其葉〔溱〕〔溱〕詩考曰此齊詩

束晳曰桃夭篇敘美婚姻以時蓋謂盛壯之時而非日月之時故灼灼其華喻以盛壯非爲嫁娶當用桃夭之月其次章曰其葉蓁蓁有蕡其實之子于歸此

孤獨夫幽微者顯之原也孤獨者見之端也胡可簡也胡可忽也是故君子敬孤獨而慎幽微詩云肅肅兔罝施于中林處獨之謂也中論法象篇呂枏曰中林無所見聞而猶肅肅德之深也

公侯腹心

左傳郤至曰共儉以行禮慈惠以布政政以禮成民是以息百官承事朝而不夕此公侯之所以扞城其民也故詩曰赳赳武夫公侯干城及其亂也諸侯貪冒侵欲不忌爭尋常以盡其民略其武夫以爲己腹心股肱爪牙故詩曰赳赳武夫公侯腹心天下有道則公侯能爲民扞城而制其腹心亂則反之成公十二年方揆如日郤至世亂之說是以兔罝爲衰世之詩 杜預注言世治則武夫能合德公侯外爲扞城內制其腹心歐陽修曰如郤至之說則公侯扞城爲美公侯腹心爲刺是兔罝一篇有美有刺郤左皆毛鄭前人其說如此與今詩義絕異

芣苢 三章

韓詩敘曰芣苢傷夫有惡疾也文選辨命論註御覽七百四十

列女傳蔡人之妻者宋人之女也既嫁于蔡而夫有惡疾其母將改嫁之女曰夫不幸乃妾之不幸也柰何去之適人之道壹與醮終身不改不幸遇惡疾不改其意終不聽其母乃作芣苢之詩魏源曰國語文王諏于蔡原韋注以爲蔡君路史言蔡黃帝後姞姓國樂記武王下車而投殷之後於宋蔡宋皆古國名也

鄭氏曰芣苡與歌蔡人作誡文孝經

采采芣苢薄言采之

韓詩曰直曰車前瞿曰芣苢釋文埤雅

韓傳曰芣苢木名實似李說文繫傳通釋又正義王肅引周書王會云芣苢如李

出于西戎王基駁云王會所紀非周南婦人所得采芣苢是馬舄之草非西戎之木也

薛君章句曰芣苢澤瀉也芣苢臭惡之草詩人傷其君子有惡疾人道不通求已不得發憤而作以事興芣苢雖臭惡乎我猶采采而不已者以興君子雖有惡疾乎我猶守而不離去也文選辨命論註　馮時可曰惡疾不相棄有以得乎性情之正矣

采采芣苢薄言襭之

列女傳曰夫采采芣苢之草雖甚臭惡猶始于捋采之終于懷擷之浸以益親況于夫婦之道乎按芣苢之事夫與汝墳之事君皆處變而不失其正故並列于周南觀劉向所述蓋魯與韓同其旨趣矣

劉峻論曰冉耕歌其芣苢文選五十四　張銑曰伯牛有德行而有惡疾　論語集註伯牛有疾先儒以爲癩也李時珍曰芣苢一名蝦蟆衣治癩疾

王肅曰自關雎至芣苢后妃房中之樂正義

漢廣三章

韓詩敘曰漢廣說人也文選七啟註

南有喬木不可休息

韓詩外傳不可休思正義曰泳思方思之等皆取思爲詞疑經休息字作休思也何則詩之大體韻在詞上休求字爲韻末二字俱當作思矣宋縣初曰詩攷序云朱子從韓詩作不可休思是宋本集傳亦作思也　臧鏞堂曰正義說當作休思箋云人不得就而止息思字因而誤也

許慎曰喬高而曲也說文引詩　陸德明曰喬一作橋

漢有游女不可求思

韓詩內傳曰鄭交甫遵彼漢皋臺下遇二女說文引韓內傳逢二女魃服與言曰願請子之佩列仙傳見二女皆麗服華裝佩兩明珠交甫不知其神人也下請其佩二女與交甫交甫受而懷之超然而去十步循探之即亡矣回顧二女亦即亡矣文選江賦註又初學記七太平御覽六十

茶荼茶茍華言榮之

北榮不相從去山茂不

鞮臭惡乎安蕃蕃而不

于百惡英人賞茶而不與

雜唇章而日茶茍謂山茶茍臭

孰許文學崇之苹茶草非茶

茜榮茶茍茶茍茶茍余茶茍文草謂甚臭惡謂於茶

此文草謂夫草謂茶茍文草謂甚臭惡謂於茶

茶榮榮余茶茍余茶茍文草謂甚臭惡謂於茶

二

薛君章句曰游女漢神也言漢神時見不可求而得之文選琴賦注　陳啟源曰韓敘說人夫說之必求之然惟可見而不可求則慕說益至璈按游女之爲漢神猶楚詞之有湘君湘夫人也內傳述鄭交甫事未審係何時代蓋以證漢神之實有耳詩以漢女之神不可犯興之子之歸必備禮非謂游女即之子也觀焦氏陳氏之引述不僅韓家爲然矣

易林喬木無息漢女難得禱神請佩反手離汝萃之漸

曹植七啟曰諷漢廣之所詠覿游女于水濱文選注薛君曰游女謂漢神也　何焯曰洛神之義本薛章句

陳琳賦曰贊皇師以南假濟漢水之清流感詩人之攸歎想神女之所游本集　璈按桃夭鵲巢稱之子毛皆以嫁子釋之爾雅適之嫁往也蓋將適人稱之子即孟子往之女家之女也江汜江漢並皆同義是游女爲神女之子爲嫁子固不得混而一之也

劉向曰不可求思言其以禮自防人莫敢犯列女傳　璈按無

寧也不顯顯也此詩兩不可猶言豈不可也求者男下女必備婚姻之禮乃云可耳次三章秣馬秣駒正謂其禮之備也

江之永矣

韓詩江之漾矣　薛君曰漾長也文選登樓賦注

說文曰永長也引詩　又曰江之羕矣羕水長也段玉裁曰說文兼引永羕蓋備三家義也

翹翹錯薪言刈其楚

魏元同曰翹翹錯薪言刈其楚楚荊也集傳楚木名荊屬在薪之翹翹者方之用人理亦當爾選人幸多尤宜簡練舊唐書本傳

李善曰翹茂盛貌文選思舊賦引詩注　呂延濟曰翹英也同　王念孫曰翹翹眾多之貌言于眾薪之中刈取其高者耳廣雅翹翹眾也義蓋本于三家

言秣其馬孔氏云古者自天子至諸侯大夫皆有反馬之禮璈按左傳宣公五年齊高固子叔姬來反馬也杜預云禮送女留其送馬三月廟見遣使反馬此詩之子爲諸侯卿大夫之女故其于歸也秣馬秣駒備送女之禮儀也

言刈其蔞

王逸曰言采其蔞蔞香艸也楚詞招魂註引詩

馬融曰蔞蒿也釋文　廣韻蔞蒿生下田初出可啖引詩

汝墳三章

韓詩敘曰汝墳辭家也後漢書周磐傳註　麈史曰韓詩以汝墳爲思親之詩　毛奇齡曰貧者爲祿仕也

列女傳周南大夫受命平治水土過時不來大夫之妻恐其懈于王事蓋與其鄰人陳素所與大夫言國家多難惟勉强之無有纊綣遺父母憂璈按文選射雉賦徐爰注墳大防今呼爲

塘又後漢書注防築土也傳謂平治水土是汝水泛溢有畚築隄防之役而大夫從事於此也

王肅曰當紂之時大夫行役正義　王基曰汝墳之大夫久而不歸並正義

遵彼汝墳

王逸曰水出高者爲墳楚詞註引詩

劉昭曰地道記汝陰郡有陶邱鄉詩所謂汝墳詩緝補義引

郭璞曰遵彼汝濆濆大水溢出別爲小水之名爾雅釋水汝爲濆註　按傳箋周南汝墳字從土訓爲大防大雅淮濆字從水訓爲水厓然爾雅別濆汝之流酈註有濦濆之目濆左從水蓋亦三家之義未可徑删郭訓矣

李善曰詩曰遵彼汝墳又曰鋪敦淮墳爾雅墳莫大于河墳此蓋三墳文選蕪城賦注

伐其條枚　伐其條肄

王引之曰條木名謂伐其條樹之枚伐其條樹之肄耳

惄如調飢

易林南循汝水伐樹斬枝過時不遇惄如〔周〕飢兌之噬嗑

韓詩〔愵〕如〔輖〕飢釋文厲鶚曰孟蜀石經作輖飢楊凝式帖晝寢乍興輖飢正甚

說文惄如〔朝〕飢惄憂也楊愼曰易林倆如旦飢卽詩調飢韓詩作朝飢言朝飢難忍也高士奇曰調飢韓作〔朝〕飢晉郭遐周詩言別在斯須惄焉如〔䩨〕飢

魴魚赬尾

薛君章句曰赬赤也言魴魚勞則尾赤君子勞苦則顏色變後漢書周磐傳注　李石曰魚勞則尾赤人勞則髮白續博物志

說文曰魴魚〔䞓〕尾䞓赤色也

王室如燬

薛君章句曰燬烈火也後漢書注

韓外傳王室如〔焜〕　說文焜火也引詩

郭璞曰燬齊人語爾雅注引詩　釋文楚人曰燥齊人曰燬吳人曰焜方俗訛語也

列女傳王室如〔毀〕王氏曰王室多難如將毀缺不堅完也毀缺壞也此蓋魯詩

雖則如燬父母孔邇

薛君章句曰孔甚也邇近也以王室政教如烈火矣然猶觸冒而仕者以父母甚迫近飢寒之患爲此祿仕也後漢書注

韓外傳曰枯魚銜索幾乎不蠹二親之壽忽如過隙樹木欲茂霜露不凋使賢士欲成其名二親不逮家貧親老不擇官而仕詩曰雖則如〔焜〕父母孔邇此之謂也

列女傳曰生于亂世不得道理而迫于暴虐不得行義然而仕者爲父母在故也王室如毀父母孔邇蓋不得

詩經廣詁　國風

敬躋堂經解
桐城徐璈輯錄

召南第二

鵲巢三章

蕭子顯曰鵲巢夫人之德也南齊書五行志

維鵲有巢維鳩居之

詩推度災曰鵲以復至之月始作家室鳲鳩因成事天性如此也正義

劉勰曰尸鳩貞一夫人象義義取其貞無從于夷禽文心雕龍

百兩御之

王肅曰御侍也魚據反釋文

崔靈恩曰諸侯夫人初嫁不得上攝以其逼王后故也卿大夫之妻得上攝一等正義引集註

賈公彥曰國君之禮夫人始嫁自乘其車也儀禮疏引詩　按賈氏之解與王肅義皆以百兩爲之子侍從之車蓋諸侯嫁女媵之以姪娣致之以卿大夫此車乘之所由庶且多也

維鳩方之

戴震曰方房也古通字　璈按房方古字多假借後世于蜂窠亦謂之蜂房矣

左傳昭公元年趙孟叔孫豹入於鄭鄭伯兼享之穆叔賦鵲巢杜注鵲有巢而鳩居之喻晉君有國趙孟治之趙孟曰武不堪也

新序晉文公逐鹿而失之問農夫老者曰吾鹿何在老者曰不意人君至此虎豹之居也厭深而淺故人得之諸侯厭衆而亡其國唯鵲有巢維鳩居之于是文公恐而歸

采蘩三章

禮記射義曰采蘩樂不失職也何楷曰三宮夫人世婦有事蠶者皆不失其職

集傳或曰蘩所以生蠶古者后夫人有親蠶之禮此詩亦猶周南之有葛覃也鼂說之詩序魯詩以鵲巢采蘩采蘋爲康王時詩

于以采蘩于沼于沚于以用之公侯之事

杜預曰沼沚之蘩至薄猶采以供公侯左傳注何楷曰古者蠶室近川以便浴蠶故有沼沚之采李光地曰采蘩所以備祭衣也采蘋所以共祭品也陸佃曰蘩皤蒿今覆蠶種尚用蒿琪按七月篇傳曰蘩皤蒿所以生蠶又出車篇采蘩句傳箋無訓當亦爲蠶事也然則采蘩與采桑同爲親蠶之所有事御毛家有明徵矣

左傳文公三年秦伯伐晉遂霸西戎用孟明也君子是以知秦穆公之爲君也舉人之周也與人之壹也詩云云秦穆有焉

被之僮僮

禮記註被之童童王念孫曰僮與童通廣雅童童盛也童童邪邪皆是形容首飾之盛

陸德明曰被皮寄反鄭注少牢禮云古者或剔賤者刑人之髮以被婦人之紒因以名焉釋文琪按周官追師王后首服副編次鄭註編列髮爲之若紒服之以桑也次次第髮爲之所謂髲髢服之以見王然則王后服編以桑諸侯夫人降一等服次以桑矣注又云內外命婦褖衣者服次則卿大夫之妻皆得服次也

周官射人士以三耦射豻侯一獲一容樂以采蘩五節二正琪按此詩居采蘋前而士得用之爲射節則此詩不專目諸侯夫人也

禮記射義曰士以采蘩爲節

左傳昭公元年鄭伯享趙孟穆叔賦采蘩杜注享其信不求其

序曰小國爲蘩大國省穡而用之其何實非命按何氏以公侯之宮爲記所云桑宮例有三只之蠶室且謂被非祭服而確指采蘩之爲生蠶愚謂觀穆叔賦此篇冀大國之省穡而用是隱然擺其蠶食之意亦足尋繹詩旨矣

草蟲 二章

劉向曰詩之好善道之甚也說苑君道篇引未見君子憂心惙惙亦既見止亦既覯止我心則說 范家相曰劉以思君子爲好善道則非大夫妻所作矣 瑊按玩劉氏之說與子展賦詩之意則此篇與杕杜隰桑同指其陟山采薇既有仰高之慕而草蟲鳴而阜螽從是亦鶴鳴子和之象也

言采其蕨

毛詩義疏曰蕨山菜也初生紫色文選註

亦既覯止

爾雅疏亦既遘止釋詁遘遇也疏引

左傳襄公二十七年鄭七子享趙孟子展賦草蟲趙孟曰善哉民之主也抑武也不足以當之杜注子展以趙孟爲君子又曰子展其後亡者也在上不忘降杜注降詩我心則降也

徐幹曰良霄以鶉奔喪年子展以草蟲昌族君子感

凶德之如彼見吉德之如此故立必罄折坐必抱鼓周旋中規折旋中矩中論法象篇 徐文靖曰此亦小序以禮自防之意

采蘋 三章

禮記射義曰采蘋樂循法也鄭注循澗以采蘋喻循法度以成君事也

王肅曰此篇所陳皆大夫妻助夫氏之祭采蘋藻以爲葅設之于奧正義

于以采蘋

韓詩曰沈者曰蘋浮者曰薸釋文 按薸亦作藻說文蘋作薲

南澗之濱

陸德明曰濱涯也釋文

宋書南澗之瀕何尚之傳

于以采藻

說文曰于以采藻藻水艸也

陸德明曰藻水菜也釋文

于以湘之

韓詩于以鬺之漢書　顏師古曰鬺烹煮祀也郊祀志注　惠棟曰毛詩湘訓亨無考當從韓詩作鬺廣雅鬺飦也

于以奠之宗室牖下

王肅曰毛傳教之以禮于宗室牲用魚芼之以蘋藻謂教成之祭非經文之蘋藻也正義　瑔按王欲牽傳合序故于傳之引禮亦別白之也

程曉曰婦人四教以備爲成是以禮有公宮家室之教詩有牖下蘋藻之奠女典　藝文類聚二十三

誰其尸之有齊季女

魯穆叔曰濟澤之阿行潦之蘋藻寘諸宗室季蘭尸之敬也左傳襄公二十八年　姜炳璋曰季女爲將嫁之女則此祭爲教成之祭　胡應嘉曰教成之祭考之于禮于詩甚合也　江永曰季女者未嫁之稱言尸之則非助祭也

玉篇有𪗉季女說文𪗉材也　白帖有齋季女六十九

左傳君子曰苟有明信澗谿沼沚之毛蘋蘩薀藻之菜筐筥錡釜之器潢汙行潦之水可薦於鬼神可羞於王公風有采蘩采蘋雅有行葦泂酌昭忠信也隱公四年　胡玫英曰鄭莊爲周卿士不循法度怨王交質左氏引古之不失職及循法者以譏非泛泛也

周官射人孤卿大夫以三耦射一侯一獲一容樂以采蘋五節二正

禮記射義曰卿大夫以采蘋爲節

儀禮鄉射記歌騶虞若采蘋皆五終

爾雅稅舍也郭注詩召伯所（稅）舍 放置 放拔爾雅稅與 廢拔同爲舍義

召伯所說

廣韻勿翦勿（扒）扒拔也 類篇古

翦絲言勿拜明召伯衛遣人思不忘也 昌黎集註唐嘉話錄韓

施士丐曰拜言人必之拜小低屈也 枝竹中屈其條也 上言勿

翦勿拜

釋文召伯所（憩）憩 息也五經文字

尸子曰詩云仁者之所息人不敢敗也 要書

勿翦勿敗召伯所憩

說文曰召伯所（废）废舍也 周禮釋文 昔借茇字 徐鍇曰詩

桓寬曰召伯舍于甘棠之下爲妨農業之務 鹽鐵論

以公繫爲人之歷年多施澤久矣所

凡至康王時向爲太保傳稱邵公年百八十則是公之

也于召公如孔叢後也所述攷左傳論衡書竹書紀年

蕡在武王時召伯當在周康王之世

大悅甘棠拔後召伯廷云

勞百姓止此非文王之志也于是乎廬于棠樹之下百姓

韓外傳曰召伯在朝有司請召民邵伯曰不勞一身而

召伯所茇

校 太平御覽勿翦勿（伐）伐 成章傳元 賦事同

五 韓詩勿（剗）勿伐 劉以釋文 胡剗 士文英日 漢書勿（翦）勿 釋文

李邕文曰聽訟之樹詩曰勿翦遺愛咸物永懷 文

而不敢伐也 風俗通

應劭曰召公出爲二伯止甘棠樹之下後人美愛其樹

劉向曰甘棠之不伐也政教惡乎不行 說苑貴德篇

郭謂放置音義同捨言此甘棠乃召伯所舍置者與傳訓爲交舍之舍異矣

家語孔子曰吾于甘棠見宗廟之敬甚矣思其人必愛其樹尊其人必敬其位道也好生篇

樂動聲儀曰召公賢者也明不能與聖人分常戰慄恐懼故舍于樹下而聽斷焉按易林爲讓所言繫于棖溫甘棠聽斷昭然蒙思當時之所聽斷者蓋實有所指目矣勞身苦體然後乃與聖人齊是周南無美而召南有之初學記

左傳昭公二年韓宣子來聘既享宴于季氏有嘉樹焉宣子譽之武子曰宿敢不封殖此樹以無忘角弓遂賦甘棠

孫楚賦曰昔在邵伯聽訟述職甘棠作誦垂之罔極藝文類聚八十一

張纘賦曰伊宗周之令望巡召南而述職藝文類聚璈按述職之義蓋出魯家觀孫張所引用是齊梁人猶遵守魯義也六帖謝安至新城築埭後人思之曰召伯埭王審知于海上開港閩人德之號爲甘棠港此亦召南之遺意也

三章

行露

列女傳召南申人之女既許嫁於酆夫家禮不備而欲迎之女不肯往夫家訟之于理致之于獄女終以一物不具一禮不備守節持義必死不往而作詩君子以爲得婦道之儀故舉而揚之傳而發之以絕無禮之求防淫慾之行焉朱彝尊曰楚元王受詩于浮邱伯劉向元王之孫實爲魯詩其所撰新序列女傳說二子乘舟黍離芣苢汝墳行露柏舟燕燕式微大車諸人之作則皆魯詩之序也程大昌曰終西都之世魯詩之盛如王臧孔安國韋賢元成貴皆以詩顯名爲世所宗轅韓之學絕不能與之抗魏源曰韓魯以諸詩

爲自作之詞其序多明作詩之意毛以采詩編詩之意爲主多歸之美刺

易林行露之訟貞女不從无妄之剝

厭浥行露

五經通義曰和氣津凝爲露從地生也藝文類聚九十八

易林厭(浥)晨夜道多湛露霑衣濡襦重不可步未濟之損

豈不夙夜謂行多露

杜預曰言豈不欲早暮而行懼多露之濡己以喻違禮而行必有汙辱是亦量宜相時而動之義左傳僖公二十年襄公八年傳注

左傳隨叛楚楚伐之取成而還君子曰隨之見伐不量力也量力而動其過鮮矣善敗由己而由人乎哉

詩曰豈不夙夜謂行多露僖二十年璈按謂或作(畏)杜注懼多露之濡己似

本作畏也

亦不女從

服虔曰古者一禮不備貞女不從左傳宣公元年注引詩

韓外傳曰行露之人許嫁矣然而未往也見一物不具一禮不備守死不往君子以爲得婦道之宜魏源曰此韓魯同也

三章

羔羊

韓詩章句曰詩人賢仕爲大夫者言其德能稱絜白之性柔屈之行進退有度數也後漢書王渙傳註

易林曰羔羊皮革君子朝服輔政扶德以合萬國謙之離

羔羊之皮素絲五紽

薛君章句曰小者曰羔大者曰羊素喻絜白絲喻柔屈

紽數名也後漢書王渙傳註

郭璞曰古者以素絲飾裘此堂書鈔

退食自公委蛇委蛇

左傳叔孫穆子曰退食自公委蛇委蛇謂從者也衡而委蛇必折襄公七年衛孫文子來聘公登亦登穆叔語之孫子無辭亦無悛容穆叔曰孫子必亡爲臣而君過而不悛亡之本也詩云云 杜預註委蛇順貌人臣自公門入私門無不順禮

韓詩曰逶迤公正貌釋文

沈重讀〈委委〉〈虵虵〉釋文孔廣森曰舊本當是委二虵二乃重讀沈誤讀耳 文選註〈逶迤逶迤〉五十七 隸釋〈遹〉〈虵〉逢盛碑 又〈禕〉〈隋〉衡方碑

孫毓曰鄭謂退食爲減膳自非天災無減膳之制正義

李賢曰言卿大夫日減膳從于公事行步委蛇自得後漢

書宋宏傳註璈按易林蜲蛇九子長尾不殆焦所述如蜥蝪蠑螈之類行步旋折寬舒詩緣以取象而委爲蜲之省歟

曹大家昭賦曰退逶迤以補過似素絲之羔羊文苑璈按左傳進思盡忠退思補過于逶迤時見補過之義不同檜詩之逍遙矣

素絲五緎 素絲五總

爾雅緎羔羊之縫也孫炎曰緎縫之界也釋文邵晉涵曰緎說文作黬繫傳曰詩云羔羊之〈黬〉以黑爲縫也

西京雜記曰五絲爲䌰倍䌰爲升倍升爲緎倍緎爲紀倍紀爲緵倍緵爲繸璈按自爾雅釋緎爲羔羊之縫毛鄭以後仍之然前言緎後言總毛韓皆以爲數名此乃言縫與三章首句語複且前後參差亦爲不詞矣雜記所述其語近似小疋當是古者絲數之目第釋總緎而不及紽豈隸文紀形近紽紀卽紽之訛歟 王引之曰五絲爲䌰十絲爲升緎二十絲總八十絲漢書孟康注緵八十縷也 璈按龍龕手鑑曰紽緵數也不言其目若以倍緎之紀計之則紽爲四十

縷也

漢書谷永上鄭寬中疏曰王法納乎聖聽功烈施乎政事退食自公私門不開德配周召忠合羔羊漢書儒林張山拊傳

漢雜事曰谷永爲尚書薦薛宣曰竊見少府宣材茂行潔達于從政有退食自公之節臣恐陛下忽于羔羊之詩捨功實之臣任虛華之譽是以越職陳宣能上然之御覽六百三十一又漢書宣本傳同

後漢書帝詔曰故濟陽令王渙秉清修之節蹈羔羊之義盡心奉公務在惠民和帝紀

殷其靁三章

魏文帝黎陽詩曰殷殷其雷濛濛其雨我徒我車涉此艱阻藝文類聚五十九 璈按此引詩詞與東山類舉則詩宜爲從軍之士將歸而室家念之如此蓋軍之始出肅將天威如霆如雷今雷由山陽而山側山下則是雷之欲收聲而軍之將凱旋飲至也君子即指從軍之士吳越春秋所謂君子六千人非必爲卿大夫也螽斯言子孫振振麟趾言公姓公族振振皆有衆多之意此軍士之同行而同歸者其爲人也多矣故曰振振云

殷其靁

韓詩曰靁雷也廣韻此詩註 臧鏞堂曰玉篇靁隱也雷也似 璈按長門賦雷隱隱而響起 殷聲象君之車音此詩亦以南山殷殷之雷擬君子歸來之車聲賦同詩指也 璈按文選景福殿賦聲訇礔其若震李引注毛傳曰礔雷聲也是毛本殷亦作礔矣

摽有梅三章

王肅曰摽有梅之詩殷紂暴亂娶失其盛時之年習亂思治故美文王能使男女得及其時周官疏

杜預曰梅盛極則落詩人以興女色盛則有衰衆士求

宴命不同

嘒彼小星三五在東

維參與昴

肅肅宵征夙夜在公寔命不同

嘒彼小星三五在東肅肅宵征夙夜在公寔命不猶

抱衾與裯寔命不猶

蔡傳齋堂藏板 《精讀寶詩》 國風 召南

被與牀帳待進御且諸侯有一國其宮中嬪妾雖云至下固非閭閻微賤之比何至于抱衾而行況于牀帳勢非一己之力所能致者其說可謂陋矣瑔按白帖引肅肅宵征夙夜在公入奉使類蓋用韓解也

寔命不猶

爾雅注寔命不〈猷〉瑔按釋詁猷可也寔命猶有所不可者安于命也疋本作猶亦訓若與首章同字義無別矣

〈江有汜〉三章

易林江水沱汜思附君子伯仲處市不我肯顧姪娣悵悔邂之異

又曰南國少子才略美好求我長女賤薄不與反得醜惡後乃大悔此之漸瑔按焦氏前義謂姪娣悵悔己與小序嫡能悔過之說異此又爲求婚不與而後悔之語其事殆有所指實而傳聞亦異詞矣

江有汜

曹大家曰汜涯也幽通賦注引詩

說文曰汜水別復入也一曰汜窮瀆也引詩

廣韻曰江有〈洍〉洍水名也董氏曰石經作洍

之子歸

蜀石經之子〈于〉歸

江有渚

韓詩曰水一溢而爲渚文選西京賦注

薛君章句曰一溢一否曰渚釋文

其嘯也歌

說文曰其〈歗〉也歌歗吹也玉篇嘯蹙口出聲也同箋

〈野有死麕〉三章

劉昫曰平王東遷男女失冠婚之禮野麕之刺興詩說引唐

左傳昭公元年鄭伯享趙孟穆叔賦采蘩子皮賦野有死麕之卒章趙孟賦常棣且曰吾兄弟比以安尨也可使無吠

何彼襛矣 四章

荀悅曰歸妹元吉帝乙之訓王姬歸齊宗周之禮 申鑒

何彼襛矣

韓詩何彼茙矣 釋文 按傳箋訓襛為戎戎則經之本字宜從韓體矣

說文曰何彼襛矣襛衣厚皃

沈約代長城公主謝表曰弱志易淪柔德難樹雖復式修姆保莫敢或違而肅雍不著襛華蓋闕 藝文類聚

王姬之車

陸德明曰王姬武王女姬周姓也 釋文

賈公彥曰言齊侯嫁女以其母王姬始嫁之車遠送之 儀禮疏引詩 惠周惕曰此采齊魯韓三家說也 范家相曰此見儀禮鄭注答張逸蓋魯詩也據此則齊侯之子為齊侯之女子平王之孫為平王之外孫女矣

平王之孫齊侯之子

皇甫謐曰武王五男二女元女妻胡公王姬宜以為媵何得適齊侯之子 正義 按皇甫既不信毛義而賈氏則謂齊女適王為后非王姬下嫁矣愚謂平王者平一天下之王謂武也齊世家曰武王平商有天下也武王之孫為康王齊侯之子豈丁公伋乙公得之女歟

維絲伊緡

李斐曰緡絲也詩維絲伊緡以貫錢也 史記平準書注

騶虞 二章

射義曰騶虞者樂官備也 焦竑曰騶為掌廐之官月令七騶左傳六騶是也虞為掌

鄭康成曰于嗟乎騶虞歎仁人也（周禮注）

毛

劉芳詩義疏騶虞或作（吾）（西京賦注稱曰騶虞或云騶牙見褚少孫記東方朔）

中興徵祥說曰昔召公化行陝西之國而騶虞應騶虞

者仁獸也狀如白虎而黑文其尾參倍（藝文類聚）

賈公彥曰周南終麟趾召南終騶虞俱稱嗟美之是

麟與騶虞皆獸名（詩疏）

潘岳曰麟趾信於關雎騶虞應乎鵲巢（西征賦）

禮記射義王射以騶虞爲節（[illegible]）

周官射人王以六耦射三侯三獲三容樂以騶虞（[illegible]）

九節五正（鄭注樂譜曰騶虞九節先鼓五節以聽餘四節發四矢也）

樂記右射騶虞　皇氏曰右是西學在西郊也騶虞

天子于西學中習射也（樂記疏）

儀禮鄉射禮樂正命大師曰奏騶虞間若一乃奏騶

虞以射

尚書大傳曰文王囚于羑里散宜生之於陵氏取怪

獸尾倍其身名曰騶虞以獻紂（御覽八百九十）

晉書樂志曰魏武平荆州獲漢雅樂郎杜夔能識舊

法傳舊雅樂四曲一曰鹿鳴二曰騶虞三曰伐檀四

曰文王皆古聲辭（臧琳曰漢樂志有雅歌四篇即此四詩也）

召南之國十四篇四十章

山澤之官舜典朕虞周禮山虞澤虞是也田獵而二官修職由文王之化行也 鄭註騶虞樂得賢者眾多嘆思至仁之人以充其官 禮記注 黃震曰有騶有虞爲官備也

墨子周成王因先王之樂命曰騶虞 三辨篇

魯詩傳曰古有梁騶者天子之田也 後漢書班固傳註 琡按文選西都賦注引詩傳曰古有梁鄒騶作鄒呂延濟曰梁鄒詩篇名

賈誼曰騶者文王之囿也虞者囿之司獸者也虞人翼五豝以待一發所以復中也作此詩者以其事得見良臣順上之志也 賈子新書

郭璞曰騶虞召南之卒章天子以爲射節 文選注引

大周正樂曰騶虞操者邵國女之所作也 御覽五百七十八 又文選李陵詩注引琴操曰騶虞者邵國之女所作也古者役不踰時不失嘉會 琡按此與詩義不相應未知何指也

彼茁者葭

趙岐曰彼茁者葭茁生長貌 孟子注

許愼曰茁草初生出地貌 說文引詩

壹發五豝

鄭康成曰喻得賢者多也 禮記注引詩

許愼曰豝牝豕也一曰二歲能相把拏也 說文引詩

韓魯說曰言君一發其矢虞人驅五豝獸而來 周官疏引 朱翌曰射十二箭爲一發非一箭能射五豕也

于嗟乎騶虞

韓詩傳曰騶虞天子掌鳥獸官 周官疏 補傳 引齊詩章句同

薛君章句曰于嗟歎辭也 文選三十

說文曰騶虞白質黑文尾長于身仁獸也食自死之肉

詩引

鄭康成曰于嗟乎騶虞歎仁人也（周禮注）

劉芳詩義疏騶虞或作（吾）云騶牙見褚少孫記東方朔（西京賦注）[illegible]曰騶虞或

毛

中興徵祥說曰昔召公化行陝西之國而騶虞應騶虞

義仁獸也狀如白虎而黑文其尾參倍（藝文類聚）

賈公彥曰周南終麟趾召南終騶虞俱稱嗟美之是

麟與騶虞皆獸名（詩疏）

潘岳曰麟趾信于關雎騶虞應乎鵲巢（西征賦）

禮記射義王以騶虞為節（[illegible]）

義之

周官射人王以六耦射三侯三獲三容樂以騶虞

九節五正（鄭注[illegible]騶虞九節[illegible]發四矢也）

樂記右射騶虞　皇氏曰右是西學在西郊也騶虞

天子于西學中習射也（樂記疏）

儀禮鄉射禮樂正命大師曰奏騶虞間若一乃奏騶

虞以射

（尚書大傳曰文王囚于羑里散宜生之於陵氏取怪獸尾倍其身名曰騶虞以獻紂　御覽八百九十）

晉書樂志曰魏武平荊州獲漢雅樂郎杜夔能識舊

法傳舊雅樂四曲一曰鹿鳴二曰騶虞三曰伐檀四

曰文王皆古聲辭（臧琳曰漢樂志有雅歌詩四篇此四詩也）

召南之國十四篇四十章

野有死麕

李善曰野有死麕今江東人呼鹿爲麕 文選沈約詩注

有女懷春

高誘曰春女感陽則思 淮南子繆稱訓註

王肅論周禮仲春之月令會男女國風行露綢繆有女懷春倉庚于飛春日遲遲樂與公子同歸之歌我行其野薇芾其樗之嘆皆春娶之證也 周官註疏

吉士誘之

諸曰誘道也誘與牖通大射禮司射誘射論語善誘人云進也解此詩者多惑于誘字而失之 璈按大雅之牖民牖民孔易韓外傳風俗通皆引作誘字諸說近是

白茅純束

董曰純讀屯徒尊反聚也 釋文

舒而脫脫兮無感我帨兮

杜預曰脫脫安徐也帨佩巾也 左傳昭公元年 邵長蘅曰娧舒遲貌詩作脫

王得臣曰婦人服飾獨言帨者蓋帨爲婦人拭物之巾居則設于門右佩則分之於左古者女嫁則母結帨而戒之 麈史 按帨鄭孔皆以佩于身者言之詩緝云其人相近未必便動其身之帨觀王下本內則設于門右之說與下句吠尨皆拒之使遠於室廬之外非獨身也是解舊義之結

太平御覽無撼我帨矣 九百四 臧[illegible]

無使尨也吠

說文曰無使尨也吠尨犬之多毛者

杜預曰言君子徐以禮來無使我失節而使狗驚吠 左傳昭公元年注 戴震曰詩辭所涉曰林野曰麕鹿曰尨吠則鄉曲之遠于都邑也